아이와 단둘이 떠나는 여행

조호바루 한달살기

저자 사계

초3 딸을 키우는 역마살이 있는 엄마다. 태어난 곳과는 아주 멀리 떨어져 있는 밴쿠버, 두바이, 서울을 거쳐 이제는 아이의 교육이라는 핑계로 제주살이하고 있다.

엄마를 닮아 여행을 좋아하고, 가끔 해야 할 일에 게으름을 피워 "여행금지"라는 벌칙을 받게 되면 전전긍긍하며 눈물을 흘리는 딸을 키우고 있다.

항공사 승무원으로 10년 가까이 근무해 비행기만 보면 지겨울 만도 한데 여행용 가방만 봐도 아직도 설레고, 언제든 떠날 마음의 준비가 되어 있다.

blog.naver.com/life_in_jeju

아이와 단둘이 떠나는 여행

조호바루 한달살기

사계

제주 한 달 살기, 파리 한 달 살기처럼 한 달 살기가 여전히 인기 있고 로망인 요즘 딸과 떠난 조호바루 한 달 살기. 딸과 내가 여행을 떠나는 이유는 가진 돈이 많아서도 아니고 영어를 잘해서도 아니다. 수학 문제 하나 더 풀게 하는 것보다 다양한 경험을 통해 큰 세상을 만나게 해주면 아이가 꿈꿀 수 있는 더 많은 미래를 보여줄 수 있을 거라는 엄마로서의 확신 때문이다.

외국 생활 경험이 많은 나에게 여행은 즐겁고 설레지만 여전히 두렵다. 공항에 픽업 예약 한 차가 도착해 있을지 확실하지 않고 낯선 땅에 도착해 숙소로 가는 길 숙소 카드키가 보관된 우편함 비밀번호를 호스트에게 받지 못하고, 전화 연락조차 되지 않는 난감한 상황 속에서도 어찌 되었든 아이와 나는 살아남는다. 침착하게 대처하며 여행 속 모든 과정에서 서로가 서로에게 배우며 성장한다고 믿는다. 이 책은 아이와 조호바루 한 달 살기 하는 동안의 경험을 담고 있다.

이 책을 통해 누군가 조호바루로 아이와 함께 떠나는 용기를 내고 떠나서 멋진 추억을 만드는 기회가 되기를 소망한다.

서문

여름방학을 한창 보내고 있을 즈음 여름방학에 비해 긴 겨울방학을 아이와 어떻게 보내야 할지 생각하게 되었다. 선생님이 지칠 때쯤 방학을 시작하고 엄마가 지칠 때 개학한다는 말이 있던데 그 말을 실감하게 되는 순간들. 예전에는 겨울방학 지나고 다시 봄방학도 있었는데 요즘은 예전과 달리 봄방학이 없어 겨울방학이 상당히 길다. 추운 걸 유난히 싫어하고 세상에서 밥하는 게 제일 싫은 나인데 긴 방학까지 겨울이 참 쉽지 않다. 제주살이 5년 차인데도 겨울에 부는 제주의 칼바람은 아직도 적응이 안 되어 긴 겨울방학을 어떻게 슬기롭게 보낼지 고민하다 따뜻한 곳에서 방학을 보내기로 마음먹고 갈 곳을 검색하기 시작했다.워낙 여행을 좋아하고 물놀이를 좋아하는 딸이라서 따뜻한 나라에 가는 것만으로도 행복해하는 모습.

그래! 매일 수영할 수 있는 곳으로 엄마와 함께 떠나 보자꾸나.

1장

한 달 살기 준비와 출발

2장

조호바루의 일상

3장

싱가포르로 당일 여행

부록

한 달 살기 준비와
출발

조호바루로 선택한 이유

처음 검색한 곳은 싱가포르였다. 코로나로 아무 데도 못 가고 있어 아쉬웠던 중에 어디든 떠날 수만 있으면 좋겠다고 생각하고 있었는데 그때가 지금이다 싶었다. 싱가포르에 가면 물놀이도 즐기면서 아이와 함께 유명한 관광명소도 가 볼 수 있고, 직접 영어를 사용할 기회도 얻을 수 있어 좋겠다는 생각이 들었다.

하지만 싱가포르 물가 앞에 좌절하게 된다. 숙소부터 너무 비싸다. 그렇다고 포기할 내가 아니다. 그래서 차선으로 알게 된 곳이 말레이시아 조호바루. 나름 많이 다니고 여행도 많이 했다고 생각했는데 조호바루는 처음 들어봤다. 이런 곳이 있었다니.

싱가포르 국경 바로 근처라서 싱가포르 당일 여행이 가능하다는 점이 매력적이었고 물가도 싱가포르랑 비교하면 훨씬 저렴하니 고민할 필요가 없었다.

말레이시아 조호바루는 1년 내내 무덥고 습한 곳으로 11월에서 1월까지는 비가 오는 편이지만 2월부터 상대적으로 비가 덜 내린다. 1월,

2월 날씨는 최저기온 24도, 최고기온 32도로 물놀이 즐기기에 좋다. 물놀이 하기 좋고 테마파크도 있는 레고랜드 말레이시아가 있는 곳이 조호바루이다. 겨울방학을 이용해 아이와 함께 가기 좋은 곳으로 결정한 이유이다. 제주에 살다 보니 제주에서 출발해 김포공항으로 가서 다시 인천공항으로 이동하는 것도 쉽지 않은 일인데 싱가포르는 제주에서 직항으로 가는 항공편도 있다니 떠나기 더 쉬운 이유가 하나 더 추가됐다.

※ 여행지 선택 팁
여행 가기 전 목적 명확히 하기
아이의 연령과 관심사를 고려하기
여행 일정과 활동에 대해 소통하기

※ 제주 출발 직항 해외 여행지 찾는 방법
제주 국제공항 홈페이지에 들어가 운항스케줄에서 국제선으로 들어가면 제주에서 출발하는 해외 여행지와 함께 어떤 항공사가 운항하는지 조회가 가능하다.

~~~~~~~~~~~~~~~~~~~~~~~~~~~~~~~~~~~~~~

말레이시아 조호바루

– 싱가포르와 국경을 접한 말레이시아의 3번째 도시이다.

– 이슬람교가 국교라서 돼지고기 파는 곳 따로 찾아야 한다.

추천 기간 : 2월 ~ 6월

무비자 90일

화폐단위 : 말레이시아 링깃 (MYR, RM)

환율 : 290원 정도

언어 : 말레이어, 영어, 중국어 등

시차 : 한국 대비 1시간 느림

물가 : 한국보다 저렴

팁 문화 없음

종교 : 이슬람교, 불교, 힌두교

~~~~~~~~~~~~~~~~~~~~~~~~~~~~~~~~~~~~~~

준비

◆

여권 및 비자

여권 기간이 6개월 이상 남았는지 확인하고 6개월 미만이면 재발급 신청을 해야 한다.

여권 사진도 필요하고 발급하는 데 시간이 걸리니 미리 확인한 후 여유를 갖고 준비해야 한다.

여행지에 따라 비자 필요 여부도 확인이 필요하다. 싱가포르, 말레이시아는 최대 90일까지 무비자 여행이 가능하다.

◆

현지 사용할 카드 발급 및 환전

해외 가능 카드 없다면 준비하는 게 좋다. 우리나라보다 더 현금 결제 안 되는 곳이 많고 컨택트리스 (contactless , 비접촉 결제하는 방법) 카드 사용하는 곳이 훨씬 많으니 알아보고 미리 발급이 필요하다. 작년 유럽 여행 때 발급받은 트래블월렛(TravelWallet, 모바일에 등록해놓은 은행 계좌에서 돈을 충전하고 환전하는 방식)이 있어 편하게 이용했다. 환전 수수료 없이 모바일에서 바로 환전해 바로 결제가 가능하고, 결제 기록과 잔액 확인도 바로 확인이 가능하다. 교통카드 기능도 있어 해외에서 이용이 가능하다.

에어비앤비 예약 시 환전 수수료 없이 바로 결제하기 편리해 숙소 예약 전 발급 받으면 좋다.

◆

항공권 예약

다양한 항공사가 있고 일정에 따라 가격도 달라진다. 말레이시아 쿠알라룸푸르에서 조호바루로 가는 것보다 싱가포르에서 가는 게 더 가깝고 편리하다.

일정이 확정된 게 아니라면 앞뒤 날짜와 시간 비교해 저렴한 가격의 항공권을 찾아보면 좋다.

우리는 제주에서 출발하여 싱가포르에 직항노선으로 도착하는 스쿠트항공을 이용했다. 운항 중인 다른 항공사가 없어 가격 비교를 할 수 없었지만, 스쿠트항공 앱에 들어가 날짜와 시간을 확인하여 비교적 요금이 저렴한 날짜로 예약했다.

◆

숙소 예약

원하는 곳이 있다면 미리 예약 하는 것을 추천한다. 방학 기간에는 떠나는 사람이 많아 빨리 마감되기도 한다. 숙소 예약에 관한 이야기는 뒤에 자세히 설명했다.

◆

유심(USIM) 구매

다양한 업체가 있고 현지에서 구매하면 더 저렴하다. 싱가포르 공항에 도착해 공항 픽업 드라이버와도 연락해야 해서 바로 사용할 수 있게 미리 주문했다.

유럽 여행 때 이용한 말톡을 주문해 사용했다. 무료 통화를 이용할 일은 많지 않지만 60분의 무료 발신 통화 시간도 있고 한국 전화번호로 전화 수신도 무료이며, 문자 서비스도 제공되어 편리해 작년 유럽 여행 이후 말톡유심('말톡'이 제공하는 유럽 여행용 SIM카드이며, 유럽 지역에서 이용 가능 데이터 통신 서비스)을 이용하고 있다.

택배로 받을 수도 있고 인천공항에서 여행 전 픽업도 가능하다. 이번 여행은 인천공항으로 가지 않고 제주에서 출발해서 택배로 주문해 받아 미리 앱을 다운로드했다.

◆

공항 픽업 신청

공항에서 싱가포르 국경을 넘어 말레이시아 조호바루로 이동하는데 저녁 시간에 도착해 아이와 대중교통을 이용하기에는 피곤할 거 같아 공항 픽업 서비스를 신청했다.

공항 픽업 서비스를 이용하면 비용이 많이 들지만 아이와 함께 대중교통의 번거로움을 피하고 이동 시간을 줄이는 장점이 있다. 출발 며칠 전 싱가포르 창이공항 픽업 서비스를 검색하여 사전 예약했다. 다양한 여행 앱에서 이용 가능한데 클룩(klook)에서 예약했다.

비용은 보통 10만 원 정도로 편도 예약이 가능하다. 심야 추가 요금이 있고 키가 135cm 이하이면 카시트가 의무적으로 필요해 추가 요금이 발생한다.

여행자 보험 가입

혹시 모를 상황이 발생할 수 있으니 미리 대비하는 게 좋다. 다양한 곳이 있으니 비교해 보고 원하는 곳에서 가입하면 된다. 보험사뿐 아니라 다양한 엡이 있어 가격과 보장 비교해 보고 가입했다.

환전

따로 환전하지 않고 작년 여행에서 남았던 유로와 파운드를 가져갔다. 현금은 이용할 일이 정말 없다. 딸이 과일을 먹고 싶다고 해서 상점에 방문하였는데 그곳에서 현금만 받는다고 해서 딱 한 번 이용했는데 그때 가지고 있던 유로 환전해 사용했다. 트래블월렛 카드 이용해 출금도 가능해 현금 필요한 경우 출금해서 사용이 가능하다.

입국신고서 작성

24년 1월 1일부터 말레이시아 입국 시 전자 입국신고서 작성으로 바뀌었다. 도착 전 3일 이내 작성이 가능해 출발 전 미리 작성했다. 싱가포르 당일 여행 시에도 말레이시아 출국하고 다시 입국하는 것이기에 싱가포르 떠나기 전 미리 싱가포르 입국신고서와 말레이시아 입국신고서 작성하면 편리하다. 말레이시아 이민국 홈페이지 들어가 순서대로 작성하면 된다.

◆

기타 준비

- 필요한 앱 다운로드

- 학원이나 학습지 등 중지 신청

◆

준비물 & 체크리스트

☐ 의류

덥고 무더운 날씨라서 여름옷을 챙기면 된다. 물놀이할 거니까 수영복과 신발을 알맞게 준비하고 에어컨 바람으로 실내는 추울 수 있어 얇은 겉옷 챙기면 좋다. 싱가포르로 여행하며 많이 걸을 때 신기 편한 운동화와 양말도 챙기길 추천한다.

워낙 옷이 저렴한 곳이라 딸과 쇼핑을 즐겼다. 필요한 몇 벌만 가볍게 챙겨가 새로 사서 입는 것도 좋은 방법이다.

☐ 세면도구

에어비앤비 숙소를 이용하는 경우 대부분 세면도구가 준비되어 있다. 그렇지 않으면 마트에서 저렴하게 구매할 수 있어 무겁게 챙겨가지 않아도 된다. 평소 사용하는 화장품이나 칫솔, 치약 정도만 챙기면 된다.

☐ 비상약

평소 사용하는 자주 사용하는 약 위주로 챙기면 된다. 지사제, 감기약, 진통제, 곤충기피제, 밴드, 해열제, 위장약, 체온계 등을 챙겼다.

□ 한국 음식

마트에 한국과 비슷한 가격에 웬만한 건 다 판다. 한국 마트에 온 듯한 느낌이 들 정도로 아이스크림, 과자, 라면까지 다 판다. 식재료도 저렴해 직접 요리해 먹을까 생각도 해보았지만, 평소에도 요리하는 것을 즐기지 않고 딸이 워낙 다양한 음식을 즐기고 잘 먹어 아무것도 안 가져갔다.

□ 학습 용품

어차피 무겁게 가져가도 아이에게 학습을 시키는 건 쉬운 일은 아니다. 평소 학습을 많이 하는 아이도 아니어서 딸이 보고 싶은 책을 e-book 다운로드 하고 밀려있던 키즈 영어신문 보고 버리고 올 생각으로 조금 챙겼다.

아침에 일어나 또는 저녁 자기 전 영어신문과 독서, 일기만으로도 충분하다는 생각이 들었다. 대신 간단한 말이라도 하루에 한 번은 직접 영어를 사용해 볼 수 있도록 했다.

혹시 불안하다면 학습 용품 무겁지 않은 선에서 챙기면 좋다. 간단한 색연필, 필기도구, 종합장이나 색종이처럼 가볍고 아이들 오래 놀 수 있는 것들로 연령에 맞춰 챙기면 좋다.

어릴 때부터 여행 전 직접 짐을 싸는 딸이어서 알아서 필요한 것들 챙기라고 했는데 다이어리와 스티커, 작은 수첩과 미니 색연필을 챙겼다.

짐 싸는 것부터 본인 가방 챙기는 작은 것부터 아이의 독립심을 키우는 데 도움이 되니 엄마가 조금 돕더라고 직접 해보는 게 좋다고 생각한다.

□ 기타

- 여권 사본, 사진

- 콘센트 어댑터

- 충전기

- 보조배터리

- 작은 우산, 우비

- 모자, 선글라스태닝 오일, 생리대 (필요한 경우)

출발

작년 1년 동안 남편이 서울에서 생활해 떨어져 지내고 함께 여행할 수 없어 아쉬웠는데 여행 가기 전 시간을 내어 제주에 와 함께 공항에 갔다. 잘 다녀오라는 남편의 배웅을 받고 떠나는 데 함께 못가 아쉽고 살짝 미안한 마음이 들었다. 설레는 마음으로 나는 아이와 함께 비행기 타러 출발했다.

탑승 전 조종실 유리창 너머로 비행 준비하는 조종사의 모습이 눈에 들어왔다. 자세히 보니 긴 머리의 아름다운 여기장이었다. 딸의 요즘 꿈이 비행기 조종사로 여자 기장은 없냐고 매번 물어 왔었던 터라 아이가 더 신나고 설렜다. 스쿠트항공은 저가 항공으로 영화를 시청할 수 있는 개인 모니터가 없고, 아이에게는 긴 비행시간이기 때문에, 사전에 놀거리를 준비하여 탑승했다. 딸은 챙겨간 작은 수첩에 그림도 그리고 얼마 전 다녀온 맥도날드에서 받은 게임으로 시간을 보내면서 휴대전화에 내려받은 넷플릭스 시리즈도 시청하였다. 기내식은 항공료에 미포함되어 별도 구매하지 않는 경우 제공되지 않았고, 라면은 6천 원에 사 먹을 수 있었다.

뒤쪽 화장실 이용하려고 기다리다 모여있는 스쿠트항공 승무원들 보며 유니폼 예쁘다고 재잘거리는 딸. 미국이나 영국 억양은 익숙한데 싱가포르 억양을 처음 들어봐서인지 놀라며 영어로 말한 거 맞냐고 물었다.여행하는 동안 싱가포르와 말레이시아 사람들이 쓰는 영어의 억양에도 조금 익숙해지는 시간이 되길 바라며 비행기에서 남은 시간을 보냈다.

어린아이들은 기압으로 비행기에 타면 귀가 아파 울기도 하니 젤리 같

은 작은 간식을 챙기면 좋다. 충전 안 되는 비행기도 있으니, 보조배터리도 챙기는 게 좋다.

6시간 정도 걸려 도착한 싱가포르. 하늘에서 바라보는 싱가포르 모습에 설레는 시간인 동시에 도착할 때가 되니 엄마는 유심 바꿔 끼우고 공항 픽업 드라이버가 나와 있기를 바라며 비행기에서 내린다.

혼자 여행하거나 커플 여행이라면 버스나 기차를 이용해도 쉽게 갈 수 있지만 가장 비싼 방법인 픽업 서비스 선택했다.

늦은 시간 도착해서 피곤한데 아이와 함께 대중교통을 이용해 갈아타며 이동하기에는 피곤할 것 같아 미리 클룩을 통해 예약해 공항 픽업서비스를 이용하기로 했다. 싱가포르 창이 공항 프라이빗 편도 이동 서비스 검색하면 여러 곳이 있으니 비교해 보고 이용하면 된다. 여러 명이 함께하는 여행이거나 같은 날짜에 함께 하는 사람이 있다면 픽업 서비스가 그리 비싸지 않은 방법일 수도 있다. 탑승 인원이 나와 딸 2명이었고 가방도 기내용 가방 2개뿐이었지만 커다란 밴이어서 더 편하게 이용할 수 있다. 왕복 픽업서비스 이용 요금은 대략 22만 원 정도였다. 남편은 택시비 정도로 생각하면 된다 했었는데 왕복 항공권이 1인당

30만 원대인 걸 감안하면 비싸게 느껴지는 건 내가 엄마라서 인가보다. 싱가포르 공항에서 조호바루 103,000원, 반대로 공항에 갈 때는 심야 추가 요금 있어 118,000원에 예약했다. 축제 기간이나 오후 11시부터 아침 7시 사이의 픽업은 심야 추가 요금이 있고, 카시트가 사용 시 추가 요금이 발생한다. 전날 카톡으로 연락이 와 공항 도착 시간과 조호바루 도착지 주소 확인도 해주니 마음이 편하다.

공항에 도착해 유심 변경하니 왓츠앱(What App)으로 차 번호와 함께 도착 터미널 어디인지 묻는 메시지가 와 있다. 문자 주고받으며 덕분에 차 타는 곳도 쉽게 찾아가고 큰 밴으로 편하게 이동했다.

영어는 잘하지 못하는 드라이버였지만 바뀐 온라인 입국신고서를 작성해서였는지 QR코드 보여주고 친절한 드라이버와 편안하게 숙소까지 이동했다.

금요일이라서 싱가포르에서 말레이시아로 놀러가는 사람이 많아 밀리기도 했지만 1시간 조금 넘게 걸려 숙소에 도착했다.

반대로 싱가포르 공항으로 이동할 때도 새벽 비행기라서 픽업 이용했는데 넉넉히 미리 도착할 수 있게 시간 예약했다. 밀리지 않아 1시간도 걸리지 않아 공항에서 여유로운 시간을 보냈다.

2장.

조호바루의
일상

현지 숙소

조호바루는 한국 학생들이 어학 캠프를 많이 가는 곳이기 때문에 보통 어학원을 통해 함께 묶어진 숙소를 예약한다. 그런 경우 대부분 위치가 좋고, 편의시설이 잘되어 있으며, 한국 사람이 많다. 한국 사람이 주위에 많으면 어려울 때 한국어로 사람들에게 도움을 요청할 수 있다는 게 장점이 될 수 있다.

우리처럼 어학원을 통하지 않고 조호바루에가는 경우 대부분 에어비앤비로 숙소 예약을 한다. 아이와 무엇을 할지에 따라 숙소의 위치가 달라질 수 있는데 나는 숙소를 2곳 예약하여 체류 기간 도중에 이동하였다. 짐이 많거나 이동하기 불편하다면 한 곳에 예약해 장기 할인 혜택을 받는 것도 좋다.

딸과 싱가포르 여행과 레고랜드에서 물놀이를 먼저 생각해서 조호바루 구도심인 조호바루 JB센터럴 근처인 수아사나 SUASANA와 레고랜드에서 가까운 알마스 ALMAS로 선택했다.

물놀이를 좋아하는 딸을 위해 크고 깨끗한 수영장이 있는 곳, 주요 편의시설 및 식당 등과의 거리가 도보 5분 이내로 접근성이 뛰어난 곳.

바로 이 2가지가 숙소 선택에 중요한 요소였다.

※ 숙소 선택 시 팁

원하는 목적에 따라 위치 파악하는 게 중요.

매일 이동하는 시간과 에너지 아끼면 좋다.

후기 통해 숙소 사진과 호스트 평 확인.

내가 감당할 수 없는 부분의 후기 있다면 피하는 게 좋다.

수아사나 Suasana Suites Hotel Johof Bahru

수아사나는 조호바루 구도심 중심에 (위치해) 있다. 에어비앤비와 호텔이 함께 운영되는 곳이고 편의시설이 함께 있는 위치라서 사람으로 붐비는 곳이다. 이곳을 예약한 가장 큰 이유는 호텔이 싱가포르 여행 하기에 편리한 위치에 있다는 사실 때문이다.

기차를 타고 이동하든 버스를 타고 이동하든 싱가포르로 갈 때 거치는 곳이 JB센트럴인데 수아사나 발코니에서도 바로 보일 정도로 가까워 그랩을 이용하지 않고 걸어서 JB센트럴까지 갈 수 있다.

길 건너에 바로 쇼핑몰도 있고 식당, 카페 등 구도심 한가운데 있어 편의시설을 언제든 이용할 수 있다는 것도 큰 장점이었다. 수영장에서 놀다 쇼핑몰 가서 밥 먹고 쇼핑도 하고 다시 돌아와 또 물놀이 즐기기에 좋아서 1일 2 수영을 즐기기도 했다. 오래된 바나나 빵으로 유명한 히압주 베이커리도 걸어서 가능하다.

싱가포르 여행을 버스로 생각하고 있어 위치가 마음에 든다면 마지막까지 고려했던 Holiday Inn 조호바루도 함께 살펴보면 좋다.

지내는 동안 편하게 지냈지만, 숙소로 가는 길 해프닝이 있었다. 혼자도 아니고 아이와 함께여서 탈 없이 무사히 지내길 바랐는데 말이다.

에어비앤비로 예약하면 호스트에 따라 조금씩 상황이 다를 수 있다. 그래서 예약 시 가장 먼저 집주인이 슈퍼 호스트인지 여부를 확인했다. 후기 중 카드키가 안 된다거나, 티브이 작동이 불편했다는 내용이 있어 조금 걱정이 되기도 했지만 오래된 후기라서 새것으로 다 교체되었겠지, 생각하고 예약한 곳이었다.

숙소 건물 출입 시나 내부 엘리베이터를 이용하려면 별도의 보안 카드키가 필요한 데 보통은 호스트가 우편함에 보관하고 체크인 가능 시간 전에 우편함 비밀번호를 문자로 보내준다. 저녁에 싱가포르 공항에 도착해 픽업 차로 숙소까지 이동하는 그 시간까지 우편함 비밀번호가 오지 않았다. 왓츠앱으로 문자를 보내도 회신이 없고 예약사이트에서 확인한 호스트 전화번호 또한 연결이 안 되는 번호여서 결국 에어비앤비 고객센터에 문자를 보냈다. 이제 숙소에 다 와 가는데 문자로 주고받기에는 상황이 급박하고 들어갈 수 없으면 어쩌나 나에게는 어떤 옵션이 있을까 생각하며 전화 통화를 원한다고 메시지를 보냈다. 여러 명의 직원과 통화 끝에 호스트와 연락이 되었고, 우편함 비밀번호와 안내 사항을 전달받을 수 있었다.

아이와 함께 밤늦게 숙소로 가며 겪는 이런 상황은 매우 당황스럽지만 침착하게 처리하려 노력했다. 영어로 통화하기 힘들다면 파파고를 이용해 문자로 연락할 수 있고 미리 연락해 확정 문자를 주고받는다면 이런 일을 피할 수 있었겠지만, 어쩔 수 없는 상황에서 긍정적으로 생각하려고 애썼다.

이런 상황이 생겨도 아이가 옆에서 보며 영어가 왜 필요한지 동기부여에 도움이 되었을 것이라며 내 자신을 위안해 본다.

사실 이런 상황만 아니라면 딱히 영어로 길게 말할 일은 여행하며 정말 없는 듯하다. 말 그대로 생존 영어 몇 마디면 1년도 살 수 있을 것 같다는 게 여행하며 언제나 드는 생각이다.

알마스 Almas

첫 번째 숙소와 달리 두 번째 숙소 알마스는 호스트가 미리 연락해 숙소
위치, 찾아오는 방법 등을 안내해 주었고, 숙박 기간 중에도 필요한 것
은 없는지 수시로 확인한 후 문 앞에 화장지랑 주방 세제 등 생활용품을
사다가 놓고 가며 문자도 보내주었다. 모든 호스트가 그렇지 않음에 마
음이 놓이는 순간이다. 알마스는 티가, 푸테리코브 등 인기 있는 숙소가
모여있는 곳에 나중에 지어진 숙소이다. 우리가 갔을 때는 후기가 거의
없었지만 최근 지어져 깔끔하고 마트, 식당 등 편의시설이 도보권에 있고

레고랜드가 가깝고 그랩도 잘 오고 수영장도 마음에 들어 선택했다. 보안도 철저해 건물 입구부터 직원이 항상 지키고 있고 카드키 없으면 들어갈 수 없는 것도 마음에 들었다.

단점이라면 옷장이나 수납공간이 부족하고 빨래를 건조할 공간이 부족한 정도였다. 한국어학원을 통해 숙소까지 함께 예약하는 경우 한국인의 취향에 맞게 수납공간도 마련되어 있다고 하니 참고하면 좋을 듯하다.

둘이 생활하기엔 부족하지 않은 공간이어서 지내기에 그리 불편하지는 않았다. 작은 테이블이 있었는데 딸이 자기만의 공간으로 이용할 것이라며 다이어리, 필통, 일기장 등 올려놓는 모습이 어찌나 귀여운지. 물놀이하고 와서 수영복도 직접 세탁기에 넣고, 씻고 난 후 스스로 일기도 쓰고 책도 보는 모습을 보니 언제 이리 많이 컸나 하는 생각이 들기도 하고 어찌나 기특한지.

알마스에서 지내기 시작하며 깔끔하고 모던한 분위기가 마음에 드는지 조금 좋아지긴 했지만, 더 좋다고 말하는 딸. 그만큼 한국 사람의 비율이 엄청 높다. 한국 사람이 많아 조언을 구하거나 함께 지내기에 심심하지 않을 수도 있지만 한국인 것 같은 느낌이 들어 여행 갔는데 살짝 실망스러운 면도 있기는 했다.

수영장 가자마자 모두가 한국 사람이어서 깜짝 놀라 딸이 먼저 우리 영어로 말하자고 제안을 했다. 딸이 엄마 앞에서 영어로 말하지 않아 영어를 얼마나 알아듣고 말할 수 있는지 정말 궁금했는데 알아서 영어로 말하겠다고 하니 많이 성장한 모습에 고마운 마음이 든다.

수영장에서 만난 언니와 함께 놀기 시작하며 영어로 하는 대화가 며칠 가지는 않았지만, 대화가 될 정도의 영어를 쓰고 있는 것만으로도 엄마는 마냥 기쁘구나.

수영장과 놀이터 등 시설이 좋은 알마스. 놀이터가 수영장 옆에 있어 물이 차가운 날은 놀이터에서 놀다가 따듯해지면 수영장에 들어가 놀 수 있으니, 엄마는 태닝하고 쉴 수 있어 좋다.

현지 교통

◆

렌터카

핸들이 우리나라랑 달리 오른쪽에 있다. 운전하는 것을 선호하고 골프를 치거나 하는 등 많이 이동할 것이라면 기름도 저렴해서 추천한다. 보통 어학원은 셔틀이 있어 픽업하지 않아도 되고 숙소 주변에 머무는 경우가 많다면 도보로 이동이 가능하다.

◆

그랩

편의시설이 가까이 있는 곳에 숙소를 예약해 도보로 이동할 수 있었다. 그랩을 이용한 경우는 알마스에서 쇼핑몰을 가거나 레고랜드 갈 때였다.

카카오 택시 앱과 비슷하게 목적지 선택하면 예약할 때 미리 요금도 예측할 수 있고 흥정할 필요도 없이 미리 등록해 높은 카드로 결제도 되고 내가 어디로 이동하고 있는지 위치를 확인할 수 있고 그랩 앱을 통해 관리도 된다. 저렴하고 편리하고 안전해 그랩을 이용했다.

현지 음식

입이 짧거나 새로운 음식 거부하는 아이들이 참 많다. 잘 먹어야 잘 놀 수 있고 타지에서 잘 못 먹어 탈이라도 나면 걱정되니 음식을 아무거나 먹일 수도 없는 게 엄마의 마음이다. 한국 음식이나 엄마가 해주는 음식만 먹는 아이여도 가방 가득 먹거리로 채워 가야 하는 부담이 없는 곳이 조호바루이다. 식재료가 워낙 저렴하고 라면, 과자, 아이스크림까지 한국 식재료가 한국과 비슷한 가격으로 판매하고 있다.

여행 가서 한식 안 먹고 잘 지내는 모녀지만 갑자기 내리는 비에 우산 가지러 가기 귀찮아 알마스 바로 아래에 있는 한식당에 한 번간 적 있다. 알고 보니 유명한 곳이고 한국 사람들뿐 아니라 외국인들도 찾는 맛집이었다. 반찬이 어찌나 많이 나오는지 그리고 가격도 저렴한데 맛도 있어 감동했다. 맛있는 한식당도 있고 현지식도 아이들이 시도해 볼 수 있는 메뉴가 많고 배달 음식도 많고 편리해 걱정 없이 한 달 살기 할 수 있다.

JB센터럴 쪽에 지낼 때는 시티스퀘어 쇼핑몰 지하에 있는 마트를 이용하거나 푸드판다(foodpanda) 앱을 이용해 생수 주문했다.

푸테리 하버 쪽은 마트가 여러 개 있어 밥 먹고 들어가는 길 필요한 것들 조금씩 사서 이용했다.

마트 들려 장보고 나오며 아이스크림 하나 들고 걸어가며 산책도 즐기고 밥만 안 해도 뭔가 더 여유로워진 느낌이 드는 조호바루의 삶이다.

말레이시아는 무슬림이 많아 대부분의 장소에서 돼지고기를 팔지 않는다. 돼지고기 음식을 판매한다면 따로 표시해야 해서 돼지고기를 먹지 못하는 나로서는 묻지 않고 편하게 아무거나 먹을 수 있어 편한 곳이다. 돼지고기나 삼겹살 먹고 싶다면 한국 식당을 이용하거나 논 무슬림 코너가 있는 마트를 찾아 구입하면 된다.

우리는 워낙 먹는 것을 좋아하고 새로운 음식을 시도하는 것을 좋아해서 매일 외식을 즐겼다. 가격도 저렴해 아이가 다양한 음식을 잘 먹는다면 외식하는 것도 추천한다. 매일 수박 주스 한 잔은 기본으로 마시며 밖에서 사 먹으니, 단골로 가는 곳도 생기고 오늘은 뭐 먹을까 선택하는 재미도 즐길 수 있다.

뭐든 시도하는 아인데 마트에서 파는 두리안 냄새를 맡고 두리안은 안먹고 싶다고 했는데 아이스크림은 시도해 보기로 했다. 아주 조금 먹어봤는데 이건 눈물 날 것 같다며 터진 웃음. 엄마도 두리안은 아직 못먹겠구나.

딸이 좋아해 자주 가던 추천 음식점이 3곳 있었다. 무난한 곳이라서 입이 짧은 아이들도 시도해 볼 수 있을 것 같다.

올드타운 화이트 커피 Old town

하루 한 끼는 올드타운 화이트 커피에서 먹을 정도 매일 새로운 메뉴를 시도하여서 모든 메뉴를 다 먹어본 듯하다. 카페 겸 레스토랑으로 면도 밥도 토스트도 있고 커피와 밀크티까지 있는 곳이다.

모든 메뉴가 다 맛있다며 딸이 좋아한 곳인데 특히 좋아한 메뉴는 BBQ chicken with flavored rice와 카야토스트였다.

마나 카페 MANA Cafe

24시간 영업이라는 큰 장점이 있고 야외 테이블이 있어 라이브 연주도 듣고 로컬 분위기 느낄 수 있다. 내부에는 에어컨이 있어 시원하게 식사도 하고 뷔페식으로 차려진 현지 음식을 골라 담아 계산하고 현지인이 먹는 가정식 같은 음식도 즐길 수 있다.

마나 카페의 메뉴 중 딸이 뽑은 베스트 메뉴가 있다.

Best 1 사테 satay

여행 출발 전부터 먹고 싶다고 한 메뉴도 사테였는데 마나 카페에서 딸이 제일 좋아했던 것도 사테였다. 사테는 다 맛있지만, 치킨이 제일 맛있다며 갈 때마다 먹은 음식 중 하나이다.

Best 2 튀긴 빵 Fried bun

튀겨져 나오는 빵이 속은 촉촉 부드럽고 따뜻해 소스 없이 그냥 먹는 게 더 맛있다.

Best 3 로티 티슈

밀가루와 계란 반죽을 얇게 부쳐 고깔모양으로 만들어 달달한 시럽 뿌려 나오는데 부셔서 먹어도 한 겹씩 뜯어먹어도 절대 맛없을 수 없는 맛이다.

Best 1. 사테 satay

Best 2. 튀긴빵 Fried bun

Best 3. 로티 티슈

볶음밥 종류도 다양하게 있어 아이들이 먹을 음식이 많다. 대신 맵지 않은지 확인 또 확인해야 한다. 분명 물어보고 주문했는데 안 맵다더니 기준이 다른지 아이가 먹지 못해 엄마가 많이 먹게 되는 일이 발생할 수 있다.

매콤한 걸 좋아하는 엄마나 아이라면 메뉴의 폭이 훨씬 넓어지는 곳이다. 오징어나 새우 등 종류 고르고 삼발 소스나 오트밀 등 요리법에 따라 종류가 정말 다양한 곳이다.

딸이 뽑은 베스트 3에 들어가지 않았지만, 볶음밥과 바닐라 쉐이크도 좋아했다. 이곳의 빙수도 별미이니 먹어보길 바란다. 비주얼은 불량식품 같지만, 얼음에서 옥수수 맛이 나고 얼음 색마다 다른 맛이 난다.

오 커피 O coffee club

오전 8시부터 밤 10시 까지 영업하는 곳으로 야외 테이블도 있고 푸테리 하버 바로 앞이라서 뷰도 좋은 곳이다.

마나 카페에 비해 가격이 비싼 편이지만 인테리어가 깔끔하고 직원들의 서비스와 영어 실력이 좋다.

마나 카페 만큼 많이 간 곳으로 말레이시아 음식부터 아시아 음식, 피자, 버거, 디저트, 커피까지 다 있어 브런치를 즐기기에도 좋은 곳이다.

현지인 핫 스팟인지 예쁘게 꾸민 젊은이들이 찾아와 한참을 촬영하는 모습을 보기도 했다.

오커피에서 연어 베이글 샌드위치나 호박수프도 딸이 좋아하는 메뉴였지만 이곳의 연어 데리야끼를 정말 좋아해 여러 번 먹기도 했다.

정말 맛있어 혼자 먹고 싶지만, 엄마도 맛을 봐야 할 것 같다며 한입 맛보라고 주는 마음이 고맙구나.

마지막 날 마지막 식사도 연어 데리야끼 먹고 주변 산책하며 아쉬움에 발걸음을 옮겼다. 우리 다시 올 날이 있겠지?

매일 즐거운 물놀이

◆

숙소 수영장

매일 물놀이 하려고 수영장 있는 숙소를 고르긴 했지만, 대부분의 숙소에 수영장이 있다. 온수 풀인 곳이 있어 그곳을 예약하고 싶었지만, 주변 편의시설이 없어 매번 그랩을 이용하는 것은 불편해 보여 그냥 예약했는데 내가 들어가기에는 추운데 아이들이 노는 데는 전혀 지장이 없어 보인다.

수아사나에 있을 때는 외국인 관광객이 가끔 있어 시간 상관없이 놀았는데 알마스로 가니 오전에는 아이들 대부분이 어학원 가기 때문에 처음에는 혼자 물놀이하다가 나중에는 심심해하는 딸. 그렇다고 엄마가 동생을 낳아줄 수도 없고.

결국 늦게 일어나 이른 점심 먹고 독서와 일기 등 할 일 하고 오후에 수영장에서 놀았다.

◆

레고랜드 워터파크

오전 10시에 오픈해서 오후 6시까지인 레고랜드 워터파크는 매주 화요일이 휴무이고 테마파크는 매주 수요일이 휴무이다. 학교를 가는 것도 아니고 매일 휴일 같아 요일 개념이 사라져 헷갈릴 수 있으니 체크해야 한다.

워터파크만 있는 것이 아니라 테마파크와 아쿠아리움이 함께 있어 3곳 다 이용할 수 있는 연간회원권 구매해도 되고 워터파크만 이용하려면 싱글 패스 구매해도 된다.

일일 이용권을 구매해 이용도 가능한데 클룩(klook), 와그(waug) 등 앱에서 할인받아 이용할 수 있다. 한 달 살기 한다면 여러 번 가게 될 레고랜드라서 당연히 연간회원권을 구매하겠지만 한 달이 아니어도 2~3번 이상 갈 것이라면 연간회원권을 추천한다. 연간회원권이 있으면 식음료 10% 할인도 있다.

워터파크에 갈 때 꼭 챙겨야 하는 게 바로 방수팩이다. 곳곳에 라커룸이 있지만 가방 놓고 다녀도 안전해 귀중품만 방수팩에 넣으면 편리하다.

우리나라의 워터파크와 비교하면 줄이 많이 길지 않아 더 즐길 수 있고 숙소 수영장과 달리 레고랜드 물은 따뜻해 나처럼 몸이 찬 사람도 함께 즐기기에 좋다. 평일에는 사람이 더 없어 슬라이드도 마음껏 타고 더 여유롭게 즐길 수 있었다. 크지 않아 왔다 갔다 하며 슬라이드도 타고 유수 풀과 파도 풀에서 나름의 휴식을 취하기도 했다.

처음 레고랜드 워터파크에 간 날 이제 2시간 놀았는데 번개가 예상된다고 물 밖으로 나가라고 방송을 해서 나왔다. 처음에는 기다리며 일단 점심을 먹기로 했는데 밥 먹고 기다려도 계속 번개가 가까이 다가왔다는 방송만 한 번씩 하고 기약이 없으니 짐 정리해 나가는 사람들이 생기기 시작. 놀고 싶은 아이들 앞에 물은 있는데 들어갈 수 없으니, 몸으로 말해요. 게임 하며 놀다 결국 오늘은 영업 중지된다는 방송에

연간 입장권	
Triple park pass	Single park pass
성인 RM 499	성인 RM 349
어린이 RM 429	어린이 RM 299

아쉽게 뒤돌아 숙소로 돌아왔다.

비가 조금씩 내리는 날은 물놀이가 가능하지만, 번개가 예상될 때는
안전을 위해 불가능하다. 일일 입장권으로 입장했다면 아깝지만 어쩔
수 없는 상황. 맑은 날 다시 가는 수 밖에.

워터파크가 재미있어 그 이유만으로도 조호바루에 또 가고 싶은 딸.

연간회원권을 이용하면 날씨 좋을 때 편하게 이용할 수 있는 장점이 있다.

레고랜드의 식사 메뉴도 피자, 치킨, 죽, 나시르막 등 다양하다. 콤보로 주문도 가능해 음식과 함께 음료와 아이스크림을 선택할 수 있는데 아이스크림은 음식과 함께 먹을지 나중에 받을지 물어봐 주는 직원의 센스. 번개 때문에, 물에 들어가지 못해 한참 물 밖에서 놀다가 아이스크림 먹는다고 해서 영수증 주며 직접 받으러 가라고 했더니 먹기위해 영어를 사용하다니. 처음에는 익숙하지 않은 억양에 영어인지 아닌지도 헷갈리다고 했는데, 직접 주문도 하고 슬라이드 엄마가 먼저타고 내려온 다음 걸어 내려오며 물 깨끗이 정리되면 다시 시작된다고일시 중단한다는 말 다 알아들었다며 뿌듯해하는 모습을 보며 역시 조호바루로 떠나길 잘했다는 생각이 든다.

또 다른 즐길 거리

2월에는 비가 거의 안 오지만 여행 간 때가 1월이라서 비가 내리는 날
이 조금 있었다. 잠깐 내리고 지나가는 경우가 대부분이었지만 계속
내리는 날은 온도가 내려가 물놀이할 수가 없다. 비 온다고 숙소에서
계속 있을 수는 없고 나가서 놀아야 하는 모녀는 일단 밖으로 나가고
본다.

조호바루 시티스퀘어

JB센트럴 쪽이라면 조호바루 시티스퀘어로 가면 된다. 딘타이펑, 올드타
운 화이트 커피, 한식당, 교촌 등 식사할 메뉴도 다양하고 쇼핑할 매장

도 많다.

아이의 취향에 따라 다르겠지만 쇼핑하고 옷 입어보고 하는 걸 좋아하는 딸이라서 시티스퀘어는 큰 쇼핑몰이라서 구경 다니기 좋았다.

입어보는 것 다 사주지 않는 엄마라서 제일 마음에 드는 것을 고르는 딸인데 말레이시아의 물가가 워낙 저렴하고 의류가 저렴해 한국에서보다 더 고를 수 있게 해주니 진짜 행복해 보이는 딸. 엄마 옷도 입어보라고 골라주고 아빠 선물도 고르자며 다니는 딸의 모습을 보니 언제 이리 커서 함께 재미있게 다니게 되었나 세월을 실감하게 된다.

Decathlon 매장도 엄청 큰데 정말 저렴해서 딸 수영복도 새로 사고 Watson 같은 약국도 여러 종류 있어 필요한 것 사고 서점에 아이들 책도 보며 시간 보내기 좋다.

콤타몰 키즈리퍼블릭 Kidz republic

예전의 앵그리버드 액티비티 파크 자리에 생긴 키즈카페로 수아사나에서 길 하나 건너 바로 보이는 콤타몰에 있다.

10:00 AM ~ 10:00 PM

늦은 시간까지 하는 키즈카페에 깜짝 놀랐다. 현지 아이들은 도대체 몇 시에 자는 걸까?

입장할 때 얼굴 스캔하고 들어가는 데 하루 종일 재입장이 가능하다는 것에 또 한 번 놀란 곳이다. 중간에 밥 먹으러 나갔다 와도 얼굴 스캔 다시 하고 입장하면 된다.

입장할 때 양말을 꼭 신어야 하는 데 야무지게 양말 챙겨 신고 간 딸과 달리 엄마는 맨발로 가서 양말 구매해서 신었다.

1링깃이 300원이 안 되니 매우 저렴한 요금으로 비 오는 날 하루 종일 놀 수 있는 곳이다.

볼풀부터 줄 타고 점프하는 것까지 우리나라 키즈카페에 비교 규모도

크고 다양한 연령의 아이들이 놀거리가 있고 실내 공간이지만 상당히 넓고 직원들 곳곳에 있어 안전하게 놀 수 있다.

와이파이도 잘 돼서 엄마 앉아서 기다리고 있고 딸은 놀다가 한 번씩 찾아와 이야기하고 가고, 숙소 수영장에서 만났던 아이를 이곳에서 만나 함께 놀기도 했다. 비 오는 날 부모 마음은 다 비슷한 듯하다.

입장권	
평일	주말
성인 RM 10	성인 RM 30
어린이 RM 25	어린이 RM 40

썬웨이 빅박스몰

알마스로 이동해서 갈 수 있는 쇼핑몰은 여러 곳이 있는데 쇼핑도 좋고
에너지 X파크도 있고 과일 종류 가장 많고 저렴한 NSK 마트도 있는 곳
이라서 물놀이 안 하는 날 가기에 좋은 곳이다.

북억세스 서점은 인테리어가 예뻐 사진 찍기도 좋고 영어책도 많고 다양
하다. 서점 1층에 피아노가 있는데 원하는 누구나 연주할 수 있어 피아
노 소리 들으며 책 보는 재미도 즐길 수 있다.

3장.

싱가포르로
당일 여행

싱가포르 가는 법

기차나 버스를 이용해 가는 방법이 있고 렌터카를 이용해 직접 운전해 가는 방법도 있다. 여행 가서 운전을 안 할 생각이어서 기차와 버스만 비교해 봤다.

◆

기차

빨리 예약이 마감되고 기차 시간에 맞춰 일어나 미리 나가야 하는 번거 로움이 있다.

◆

버스

아침에 딸이 자고 있는데 시간에 맞춰 깨우는 게 왜인지 정말 싫다. 나는 일찍 일어나 커피 한잔 마시고 여유롭게 준비하고 기다리다가 딸이 일어나면 이동하기에 버스가 편해 버스 타고 싱가포르 여행을 하기로 결정했다.

기차를 이용하든 버스를 이용하든 JB센트럴로 가야해서 JB센트럴 근처 숙소에서 지낸 것도 싱가포르에 편하게 가기 위한 것이었다.

수아사나 기준으로 길 건너 시티스퀘어 뒤쪽으로 가면 JB센트럴이 나오고 싱가포르 갈 때는 우드랜드 Woodlands 표시 따라가면 쉽다. 말레이시아 출국 심사하고 버스 베이로 가서 아무 버스나 타면 국경을 넘어 버스가 멈추면 모두 내려 싱가포르 입국심사를 하러 건물로 들어간다.

말레이시아는 아이는 무료여서 나만 트래블월렛을 이용해 교통카드로 태그해 이용했다. 습한 나라여서 에어컨을 정말 빵빵하게 틀어 버스 타자마자 추워 가디건을 챙겨 입었다.

출발 전 미리 싱가포르 입국카드인 SG 카드를 온라인으로 작성하면 빠르게 이동이 가능하다. 다시 버스 타고 싱가포르로 가면 되는데 이

때는 내 목적지에 따라 버스를 타고 이동하면 된다.

싱가포르는 아이도 요금 같아서 이지링크 구매해 충전해 사용했다. 교통카드가 되는 해외 카드 하나 더 챙기면 편리하다.

교통카드 되는 카드 분명 챙겼는데 그 카드가 안 되어 남편 이름으로 발급받은 트래블월렛 카드 챙겼으면 더 편리했을 텐데 후회했지만 이미 늦은 상황. 딸은 이지링크 카드 귀엽다고 기념으로 갖고 싶다고 해서 보증금 환불받지 않고 가져왔다.

싱가포르 당일 여행 시 금요일은 피하는 게 좋다. 싱가포르 여행하면 조호바루로 늦게 돌아가게 되는데 차도 많이 막히고 버스 타려는 사람도 많아 줄이 길어 한참 기다려야 한다.

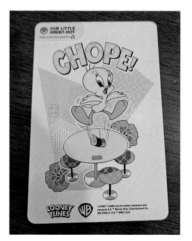

CW2 Queen St	24시간
CW1 Kranji	4:10 ~ 22:50
CW5 Newton	5:10 ~ 23:10

싱가포르 사이언스 센터

여행 전 싱가포르 여행책 살펴보며 가고 싶은 곳을 미리 골라보는 시간을 가졌다. 싱가포르에서 유니버설 스튜디오를 가장 가고 싶어 할 것이라는 엄마의 예상과 달리 딸이 가장 가고 싶다고 한 곳은 싱가포르 사이언스 센터였다.

크란지역에서 내려 MRT타고 주롱이스트역으로 이동했다. MBTI 극 T라고 생각하고 살던 엄마였는데 찾아가는 게 어렵겠어?하며 막연히 갔다. 역에서 내리니 길은 공사중으로 막혀있고 가려는 방향에 횡단보도는 없고 날은 더운데 정신이 혼미해지며 방향감각을 상실했다. 내가 이

정도이면 더위 많이 타는 딸은 더 힘들 테니 일단 수박 주스와 커피로 진정하고 (이때 사용한 현금이 유일한 싱가포르에서 사용한 현금이었다. 버스 터미널의 작은 가게에서는 적은 금액은 카드 수수료가 더 크다.) 택시타기로 했다.

택시도 정류장이 따로 있어 찾아가 버튼 누르고 택시가 오기를 기다려야 한다.

택시 타고 무사히 도착해 구경하고 똑같은 실수 안 하려고 돌아가는 길 택시 타려고 택시 불러달라고 입구에서 부탁하니 직원이 어디 가냐고 주롱이스트 역은 가깝고 찾기 쉽다며 그냥 걸어가라고 길을 알려준다. 그래, 다시 시도 해보자. 걸어서 역으로 돌아가는 길에 보니 이렇게 간단한데 왜 그랬을까? 계획적이던 나는 사라지고 점점 헛똑똑이가 되고 있는 것 같다.

전날 미리 클룩에서 입장권과 옴니 시어터 그리고 키즈 스톱 패키지를 함께 예약했다. 옴니 시어터는 상영 시간이 있어 클룩 바우처 번호 입력해 따로 시간 예약 필요하다. 택시 타고 조금 늦게 도착해 못 보면 어쩌나 했는데 다행히 들어갈 수 있었다.

천장에서 상영되어 자리는 어디에 앉든 상관없어 늦게 입장해서 조용히 들어가 아무 곳이나 자리 잡았다. 재미있는 주제의 영상을 40분 관람하고 나와 싱가포르 사이언스 센터 입구에 있는 스텔라 레스토랑에 점심 먹으러 갔다.

밥도 못 먹고 더운데 국경 넘어 고생한 딸 든든히 점심 먹고 다시 입장해 체험을 시작했다.

구석구석 다양한 주제가 있고 다양한 연령의 아이들이 즐길 거리가 있어 시간 가는 줄 모르고 하루 종일 놀 수 있는 곳. 딸도 이 모든 것이 과학이라고 생각하지 않고 재미있어 하니 좋다. 우리나라에 있는 상상 나라랑 비슷하지만, 더 넓고 업그레이드된 느낌이다.

과학을 좋아하지 않아도 재미있게 체험하는 곳이고 과학을 좋아하는 아이라면 더 적극 추천한다.

꿈이 비행기 조종사인 만큼 모형안에 들어가 살펴보는 딸. 엄마도 딸이 조종하는 비행기에 타 보는 날이 언젠가 오겠지. 그날까지 건강하게 여행 다닐 수 있게 관리 잘해야겠다.

싱가포르 사이언스 센터의 마무리는 물놀이다. 워터웍스에서 신나게 물놀이 즐길 수 있어 퇴장 전 많은 아이들이 들르는 곳이다. 수건과 갈아입을 옷이나 수영복 챙기는 것은 필수. 온수 샤워도 가능하고 드라이기도 준비되어 있다. 보관함도 있는데 이용 시 50센트 코인 필요하다.

※ Tip
옷, 수건 챙기기
많이 걸으니 편한 신발 필수
운영시간 : 화~일 10:00 AM ~ 5:00 PM

싱가포르 버드 파라다이스

버드 파라다이스는 딸이 엄청나게 좋아하고 만족한 곳이다. 개인적으로 내가 혼자 코스를 짰다면 절대 고르지 않았을 장소였다. 버드 파라다이스가 별로여서는 아니고 비둘기 날아다니는 것만 봐도 엄청나게 싫어하는 엄마여서이다. 아이를 키우다 보니 아이에게 맞추게 되고 싫어하던 것도 괜찮아지는 것을 보면 엄마가 되어 사는 것도 멋진 인생이라는 생각이 든다. 결론적으로 버드 파라다이스는 가기 잘했고 나도 멋진 공연과 알록달록 귀여운 새들을 볼 수 있어 좋았고 나의 틀을 깨뜨릴 기회가 되어 좋았다.

패키지를 구매하면 싱가포르 동물원, 나이트 사파리, 버드 파라다이스, 리버 원더스를 함께 볼 수 있고 이렇게 하면 가격 할인도 더 받을 수 있지만 싱가포르로 국경을 넘어가고 이동시간이 있는데 다 볼 수 있을까 고민하다 가장 보고 싶은 하나만 고르기로 했다.

버드 파라다이스를 고른 딸을 위해 한곳에서 충분히 재촉하지 않고 보기로 결정한 게 잘했다는 생각이 든다. 딸도 만족해하고 구석구석 다 보기에도 넓은 곳이어서 다른 곳과 함께 묶었다면 재촉하게 되고 제대로 즐기지 못했을 듯하다. 다른 곳을 다 못 봐서 아쉽기는 하지만 또 기회가 있겠지?

온라인 티켓만 가능하니 기왕이면 할인받아 예약 하는 게 좋다. 나는 클룩에서 예약하고 시간 예약도 필요해 여유롭게 12시로 예약했다.

초추캉역에서 내려 927번 버스 타고 이동했는데 버스 타러 가는 길 앞에서 버스가 지나갔는데 다음 버스까지 시간이 남아 맥도날드 가서 아이스크림 먹고 시간 맞춰 다시 나가 버스에 올랐다. 싱가포르는 버스보다는 MRT가 편리하다는 게 개인적인 생각이다. 초추캉역 말고 카팁역에서 내려 바로 가는 셔틀을 이용하는 게 가장 편리하다. 무료 셔틀로 버드 바라다이스까지 바로 가기 때문이다. 조호바루로 돌아가는 길은 반대로 셔틀 타고 카팁역으로 가서 MRT 타고 이동했다.

버드 파라다이스에 입장해서 딸이 원하는 대로 펭귄 먼저 구경했다.
그러고 보니 펭귄도 조류였지.

뒤뚱거리는 펭귄보고 아래층으로 내려가면 수영하는 펭귄도 볼 수 있
다. 다른 곳 구경 다 하고 마지막에 나오기 전 한 번 더 실내로 들어가
펭귄 보고 나왔을 정도로 딸이 가장 좋아했던 게 펭귄이었다.

펭귄 보고 나와 트램 타고 위쪽으로 이동했다. 실외만 있는 게 아니라 실내와 실외를 왔다 갔다 하며 실내의 설명을 보고 실제로 밖에 나가 보니 더 좋은 버드 파라다이스.

다양한 종류의 새도 관찰하고 새가 먹이 먹고 있는 모습도 직접 보고 새소리도 바로 앞에서 들어볼 수 있는 엄청난 규모에 감동했다.

여행 가기 전 신문에서 봤던 카피바라를 보며 이런 동물은 처음 본다고 신기해했는데 실제로 만나는 신기한 경험도 했다.

2가지 공연이 있는데 하루 2번씩 하니 시간 맞춰 꼭 보길 추천한다. 시시한 공연 아니고 진짜 멋진 장관이 펼쳐지는 공연이다. 영어로 설명해주지만 이해되지 않아도 설명이 필요 없는 멋진 공연이다.

윙스 오브 더 월드
12:30 & 17:00
포식자 새
10:30 & 14:30
20분 소요

버드 파라다이스 구경하고 공연 시간 전 시간이 남는다면 tree pot play에서 아이들 신나게 놀 수 있다.

간식과 식사할 곳도 여러 곳 있고 메뉴도 다양해 시원한 음료 마시고 공연 보러 가기에도 좋다.

※ 운영 정보

시간 : 매일 9:00 ～ 18:00

요금 : 성인 S $49.00

　　　 어린이 S $34.00

유니버셜 스튜디오

싱가포르 여행에서 아이와 함께라면 빠질 수 없는 장소가 유니버셜 스
튜디오.

전날 예약 후 날짜 지정해 이용했다. 놀이기구 다 타고 싶다면 모든 놀
이기구 한 번씩 가능한 한 익스프레스와 숫자 제한 없이 즐기는 익스
프레스 두 가지 종류가 있어 선택할 수 있다.

아침에 일어나 싱가포르 크란지역으로 가서 하버프론트역으로 이동했
다. 하버프론트역은 비보시티 쇼핑몰과 연결되어 있다. 이곳 3층에서
보통 모노레일을 타고 유니버셜스튜디오로 이동한다.

아침 안 먹는 아이라서 비보시티 몰에 도착해 이른 점심을 먹고 유니버
셜 스튜디오로 가기로 했다. 비보시티 몰 3층 모노레일 타는 곳 옆쪽
으로 푸드코트인 푸드 리퍼블릭이 있는데 음식 종류도 어마어마하게
다양하고 맛있고 저렴한 곳이다. 한식을 좋아하는 아이도 선택할 수
있는 메뉴가 많이 있다. 딸이 좋아하는 연어 데리야끼 메뉴가 있어 점
심도 저녁도 같은 메뉴로 먹었다.

모노레일을 탄다면 바로 옆 3층 모노레일 타는 곳으로 가면 되는데 우리는 케이블카를 예약해서 2층으로 내려갔다.

유니버셜 스튜디오로 가는 가장 저렴하고 편한 방법은 모노레일을 이용하는 것이지만 아이와 함께라서 케이블카 예약했다. 안내가 잘 되어 있어 찾기 편하다.

유니버셜 스튜디오에 입장하면 보통 오른쪽으로 입장해 스릴 있는 놀이기구를 즐기는 사람이 많다. 상대적으로 왼쪽은 줄이 길지 않아 아이와 함께 왼쪽으로 입장해 원하는 놀이기구 하나씩 타고 돌아가 또 타고 싶은 건 조금 기다려 타기도 했다.

puss in boots' giant journey는 딸이 재미있다고 2번 탄 놀이기구이다. 아이들을 위한 롤러코스터의 느낌인데 생각보다 확 꺾는 구간과 내리막 속도 빨라 스릴을 즐기는 저학년 아이들에게 추천한다. 슈렉에서 봤던 캐릭터들 나오고 중간중간 나와 재미있어 했다.

revenge of the mummy나 Battlestar Galactica 같은 스릴 넘치는 것은 성인이나 고학년 아이들에게 추천한다.

앱에서 대기 시간 확인 가능하니 가장 타고 싶던 것 먼저 타고 또 타는 것도 좋다. 동선이 아주 길지는 않아 한 바퀴 돌고 다시 돌아가 또 타고 싶던 것 타기도 하고 트랜스포머, 미니언즈 등 함께 사진도 찍었다. 비 예보 있었는데 계속 맑아 우비랑 바람막이 안 챙기고 우산만 챙겼는데 하루 종일 무더운 날씨가 이어지더니 갑자기 비가 내리기 시작. 금방 그치겠지 했는데 마구 쏟아져 우산 하나로 안 될 것 같아 우비 구매했다. 곳곳에 기념품 파는 곳이 많은데 다른 캐릭터와 다른 상품을 팔고 있어서 가는 곳마다 구경하는 재미가 있었다.

나오며 싱가포르 유니버설 스튜디오 기념사진을 찍기로 하고 입장할 때 그냥 들어갔는데 비가 내려 우비 입고 사진을 찍어 후회되는 순간이었다. 계속 회전하기 때문에 어느 자리에서 찍어도 괜찮은데 들어갈 때 그냥 찍었어야 했는데.

전체적으로 2바퀴 돌고 놀이기구도 실컷 타고 나와서 저녁 먹고 이동했다. 이런 장소에서 놀 때는 시간을 아끼며 노는 딸이라서 나와서 저녁 먹고 출발해 숙소에 도착하니 10시. 아이랑 함께하는 시간이기에 무리하지 않고 컨디션에 맞게 노는 게 중요하다. 워낙 건강하고 노는데 진심인 아이라서 신나게 놀아도 탈이 나지는 않지만, 컨디션 조절을 위해 하루 싱가포르 갔다 오면 다음 날은 수영장에서 물놀이하며 나름의 조절을 했다. 아이의 평소 체력은 엄마가 제일 잘 알고 있으니 고려해 스케줄을 짜는 게 중요하다.

※ 유니버셜 스튜디오

운영시간 날짜에 다름

공식 사이트 확인 필요

미리 타고 싶은 놀이기구 정하기

앱 다운로드해 대기시간과 위치 확인

온라인 예약이 저렴

아이가 원한다면 케이블카 예약하기

식사는 미리

부록

응급 상황

건강하고 안전한 게 제일 중요하다. 그래서 여행자 보험에 미리 가입하고 출발하는 것을 추천한다.

수아사나에서 지낼 때 자다가 딸이 새벽에 침대에서 떨어져 엄청나게 놀랐다. 예전에 열이 올라 기절 해 병원 간 적이 있는데 그때처럼 뒤로 기대며 쓰러져 병원을 가야 하나 두근두근 어찌나 걱정했던지. 다행히 잠결에 떨어져 다친 곳도 없고 잠이 들어 뒤로 넘어가는 거였고 새벽에 침대에서 떨어진 것조차 기억을 못 했다. 그것도 모르고 상태 지켜보느라 나는 한숨도 못 잤다.

조호바루에서 만난 아이는 다리 다쳐 병원 간 적 있는데 여행자 보험 회사에 연락해 근처 병원이나 보험에 연결된 병원 안내받고 찾아갔다고 한다. 보험 처리 하면 되니 어려운 건 없지만 우리나라처럼 진료 진행이 빠르지 않아 시간이 오래 걸린다.

안 아픈 게 제일 좋지만, 혹시 모르니 대비는 필요.

준비물 리스트

여권

여권 사본, 여권 사진 여분

신용카드, 현지 화폐

비자 (필요시)

항공권 e ticket

숙소 예약 확인증

각종 투어 예약 확인증

비상약

콘센트 어탭터

멀티탭

각종 충전기

해외 유심

보조배터리

세면도구

의류 (속옷, 잠옷, 여벌 옷, 가벼운 겉옷, 양말)

- 기타 -

우산

지퍼백

물티슈, 티슈

유용한 앱

예약한 항공사

에어비앤비 (airbnb)

트래블월렛 (TravelWallet)

왓츠앱 (WhatApp)

그랩 (Grab)

구글 지도 (Google Maps)

환율 계산기

클룩(klook), 마이리얼트립(myrealtrip), 와그(waug) 등

에필로그

학교에서 또는 학원에 배울 수 없는 것들을 여행하며 배운다고 생각한다. 이번 조호바루 여행에서 딸도 나도 조금은 성장하는 시간이었다고 믿는다. 길 가다 엄마가 놓친 부분이 있으면 엄마를 챙기는 딸의 모습을 보니 조금 있으면 독립해도 되겠다는 희망 사항을 떠올려보기도 했다.

두렵고 겁내는 모습이 아닌 시도하고 모르면 찾아보고 배우고 부딪히며 성장하는 엄마의 모습을 보며 아이도 많은 것을 배운다.

이 글을 쓰며 내가 책을 쓸 수 있을까 고민도 하고 마감일 3일 뒤 떠나는 다음 여행이 준비도 안 된 상황에서 남편이 다쳐 새벽에 응급실도 가고 병원 통원 치료도 받아 이 글을 쓸 수 있을까 하는 생각도 한 게 사실이다. 하지만 무엇이든 시도하면 배우는 게 있다는 게 지금까지의 내 경험이라서 일단 지금에 최선을 다했다. 어떤 상황이든 핑계를 댈 것도 많고 포기할 이유도 많다. 하지만 내가 그랬던 것처럼 이 글을 읽은 누군가 용기 내어 아이와 멋진 추억을 만들기를 소망해 본다.

blog.naver.com/life_in_jeju

조호바루 한달살기 아이와 단둘이 떠나는 여행

발 행 | 2024년 07월 31일
저 자 | 사계
표지사진 | 사계
그림/일러스트 | 하니
디자인 | 오은정
인권표현검수 | 이지민
바른우리말검수 | 이지민
후원 | 제주특별자치도, 제주문화예술재단
주관 | 서귀포 오아시스
미디어에디터 | 최인서
작품편집, 에이전트 | 박산솔, 이정숙, 이선경
펴낸이 | 한건희
펴낸곳 | 주식회사 부크크
출판사등록 | 2014.07.15.(제2014-16호)
주 소 | 서울 금천구 가산디지털1로 119, SK트윈타워 A동 305호
전 화 | 1670 - 8316
이메일 | info@bookk.co.kr

ISBN | 979-11-410-9842-1

www.bookk.co.kr

2024 엄마의 활주로 '함께육아에세이'의 취지에 맞게 작가의 감정 표현과
아이의 언어 표현을 지키는 방향으로 교정 교열 하였습니다.

본 책은 강원교육모두체, 학교안심(확장)바른돋움체가 사용되었습니다.

본 책은 제주특별자치도와 제주문화예술재단의 후원을 받아 제작되었습니다.